KB007896

그리고 웅덩이 장난

글 신시아 라일런트 | 그림 수시 스티븐슨

HENRY AND MUDGE IN PUDDLE TROUBLE

헨리와 머지
그리고 웅덩이 장난

초판 발행	2021년 1월 15일
글	신시아 라일런트
그림	수시 스티븐슨
번역및콘텐츠감수	정소이 박새미 유아름
콘텐츠제작참여	최선민 선생님(충남 보령 성주초) 김수정 선생님(경기 부천 부인초) 권재범 선생님(충남 계룡 금암초) 박은정 선생님
책임편집	정소이 박새미 김보경
디자인	모희정 김진영
저작권	김보경
마케팅	김보미 정경훈
펴낸이	이수영
펴낸곳	(주)롱테일북스
출판등록	제2015-000191호
주소	04043 서울특별시 마포구 양화로 12길 16-9(서교동) 북앤빌딩 3층
전자메일	helper@longtailbooks.co.kr
ISBN	979-11-86701-69-0 14740

롱테일북스는 (주)북하우스 퍼블리셔스의 계열사입니다.

이 도서의 국립중앙도서관 출판예정도서목록(CIP)은 서지정보유통지원시스템 홈페이지(http://seoji.nl.go.kr)와 국가자료종합목록 구축시스템(http://kolis-net.nl.go.kr)에서 이용하실 수 있습니다. (CIP 제어번호 : CIP2020053035)

Contents

본 워크북에 담긴 한국어 번역의 페이지는 영어 원서의 페이지와 최대한 동일하게 유지했습니다.
영어 원서를 읽다가 이해가 가지 않는 부분이 있다면, 워크북의 같은 페이지를 펼쳐 보세요! 궁금한 부분의 번역을 쉽게 확인할 수 있습니다.

영어 원서를 내용상 총 여섯 개의 파트로 나누어, 각 파트별로 다양한 액티비티를 담았습니다. 재미있게 영어 원서를 읽고 액티비티를 풀어 나가다 보면 영어 실력도 쑥쑥 향상될 것입니다!

부록으로 제공되는 MP3 CD에는 '듣기 훈련용 오디오북'과 '따라 읽기용 오디오북'의 두 가지 오디오북이 담겨 있습니다.
'듣기 훈련용 오디오북'은 미국 현지에서 제작되어 영어 원어민들을 대상으로 판매 중인 오디오북과 완전히 동일한 것입니다.
'따라 읽기용 오디오북'은 국내 영어 학습자들을 위해서 조금 더 천천히 녹음한 것으로 '듣기 훈련용 오디오북'의 빠른 속도가 어렵게 느껴지는 초보 학습자들에게 유용할 것입니다.

스노우 글로리

눈이 녹고

봄이 왔을 때,

헨리와 그의 커다란 개 머지는

내내

밖에 머물렀다.

헨리는 그의 자전거를 타는 것을

그리워했었다.

머지는 막대기를 씹는 것을

그리워했었다.

날씨가 따뜻해져서

그들은 기뻤다.

어느 날 헨리와 머지가

그들의 마당에 있을 때,

헨리는 땅 위에 있는

뭔가 파란 것을 보았다.

그는 그것에 더 가까이 다가갔다.

"머지!" 그가 외쳤다.

"이건 꽃이야!"

머지는 천천히 걸어가서

파란 꽃의 냄새를 킁킁거리며 맡았다.

그러더니 녀석은 헨리의 온 몸에

재채기를 했다.

“어유, 머지.” 헨리가 말했다.

나중에, 헨리의 엄마는

그 꽃이 스노우 글로리라고 불린다고

그에게 알려 주었다.

"제가 그걸 꺾어도 돼요?"

헨리가 물었다.

"오, 안 돼." 그의 엄마가 말했다.

"그냥 그것이 자라게 두렴."

그래서 헨리는 그것을 꺾지 않았다.

매일 그는 마당에 있는

파랗고

정말 예뻐 보이는,

스노우 글로리를 보았다.

그는 그것을 꺾으면 안 된다는 것을 알고 있었다.

그는 그것을 꺾지 않으려고 노력하고 있었다.

하지만 그는 그것을 병에 꽂으면

얼마나 근사하게 보일지 생각했다.

그는 그것을 집 안으로 가져오면

얼마나 멋질지 생각했다.

그는 저 스노우 글로리를 갖게 되면

얼마나 기분이 좋을지

생각했다.

매일 그는 머지와 함께 서서

그 꽃을 바라보았다.

머지는 자기 코를

스노우 글로리의 주변에 있는

잔디에 들이밀었다.

하지만 녀석은 절대로 그것을

헨리가 그랬던 것처럼 바라보지는 않았다.

"엄마는 스노우 글로리가

충분히 오래 자랐다고 생각하지 않으세요?"

헨리는 그의 엄마에게 물어보기도 했다.

"그냥 그것이 자라게 두렴, 헨리."

엄마는 그렇게 말했다.

오, 헨리는 그 스노우 글로리를 갖고 싶었다.

그러던 어느 날

그는 자신이 그것을 반드시

가져야 한다는 것을 알았다.

그래서 그는 머지를

목줄로 붙잡고 데려가서

스노우 글로리 옆에

섰다.

"나는 이것을 꺾을 거야."

헨리가 머지에게 속삭였다.

"나는 오랫동안 이것이 자라게 두었어."

헨리는 자신의 고개를 숙이고

머지의 귀에 대고 말했다.

"이제 나는 이걸 *원해*."

그러자 머지는 자기 꼬리를 흔들고,

헨리의 얼굴을 핥고,

자신의 큰 입을

스노우 글로리 바로 위로 가져가더니…

그리고 녀석은 그것을 먹어 버렸다.

"*안 돼, 머지!*" 헨리가 말했다.

하지만 너무 늦었다.

머지의 뱃속에는

파란 꽃이 있었다.

"나는 그걸 *원한다*고 했지,

*먹으라*고 하지는 않았어!"

헨리가 소리쳤다.

머지가 자신의 꽃을 먹어 버려서

그는 너무 화가 났다.

그것은 헨리의 꽃이었는데

머지가 그걸 먹어 버린 것이다.

그리고 헨리는 “나쁜 개”라고

말할 뻔했지만, 멈췄다.

그는 머지를 바라보았는데,

녀석은 다정한 갈색 눈으로

자신의 뱃속에 꽃을 담은 채

그를 마주 보았다.

헨리는 그것이 자신의 스노우 글로리가 아니란 것을 알았다.

그는 그것이 어느 누구의 스노우 글로리도 아니란 것을 알았다.

그냥 자라나게 두어야 하는 것이었다.

그리고 만약 누가 그것을 먹었다면,

그것은 그냥 포기해야 하는 일이었다.

헨리는 더는 화가 나지 않았다.

그는 머지의 커다란 머리 주위로

자신의 팔을 둘렀다.

"다음에는 말이야, 머지."

그가 말했다.

"더 잘 *들으려고* 노력해 봐."

머지는 녀석의 꼬리를 흔들었고

녀석의 입술을 핥았다.

파란 꽃잎 한 장이

녀석의 입에서

헨리의 손으로 떨어졌다.

헨리는 미소 지으며,

그것을 자신의 주머니 안에 넣었고,

그들은 안으로 들어갔다.

웅덩이 장난

4월에는

날마다

매일

매일

비가 내렸다.

헨리는 지루해져 가고 있었다.

머지는 집 안에 있는 모든 것을

씹고 있었다.

그래서 헨리가 말했다.

“어쨌든 밖에서 놀자.”

그는 자신의 우비를 입고

운동화를 신고

머지와 함께 밖으로 나갔다.

헨리는 자신의 아빠에게 그래도 괜찮은지

묻는 것을 깜박했다.

머지가 젖은 잔디밭에

발을 내디뎠을 때,

녀석은 자기 발들을 들어 올려서

그것들을 털었다.

“네게 운동화가 없다니

참 안됐구나.” 헨리가 말했다.

그리고 그는 머지 주위에서

원을 그리며 걸었다.

철벅, 철벅, 철벅, 철벅.

머지는 귀를 기울였고

헨리를 바라보았다.

그러더니 녀석은 헨리에게

더 가까이 다가가서

자신의 꼬리를 흔들고

자신의 젖은 털로 뒤덮인

커다란 몸에서

헨리의 온몸으로 물을 털어 냈다.

헨리는 자신의 얼굴에서

물을 닦아 냈다.

"어유, 머지." 그가 말했다.

그 둘은

산책을 갔다.

그리고 길을 따라가다

그들은 큰 웅덩이를 발견했다.

거대한 웅덩이.

호수같이 큰 웅덩이.

바다처럼 큰 웅덩이.

그리고 헨리가 말했다. “우와!”

그는 달리기 시작했다.

머지가 먼저 그곳에 도착했다.

첨벙!

머지의 온몸에 흙탕물이 뿌려졌다.

첨벙!

헨리의 온몸에 흙탕물이 뿌려졌다.

그것은 그들이 지금껏 보았던 것 중에

가장 크고,

가장 깊은 웅덩이였다.

그리고 그들은 그것이 무척 마음에 들었다.

헨리의 아빠가

헨리를 불렀지만

그를 찾을 수 없었을 때,

그는 밖으로 나갔다.

그는 길을 내려다보았다.

첨벙! 그는 소리를 들었다.

그는 자신의 우비를 입고

산책을 나섰다.

첨벙! 그는 보았다.

헨리의 아빠는

진흙투성이 얼굴에

진흙투성이 꼬리에

곳곳에 진흙이 묻은, 머지를 보았다.

헨리의 아빠는

진흙투성이 얼굴에

진흙투성이 운동화에

곳곳에 진흙이 묻은, 헨리를 보았다.

그리고 그가 소리쳤다. "*헨리!*"

더는 첨벙거리는 소리가 나지 않았다.

그저 물을 뚝뚝 흘리는,

소년과 개가 있었다.

"안녕하세요, 아빠." 헨리가

옅은 미소를 지으며, 말했다.

머지는 자신의 꼬리를 흔들었다.

"헨리, 너는 아빠에게 먼저

물어봤어야 했다는 것을 알잖니."

헨리의 아빠가 말했다.

"알아요." 헨리가 말했다.

"너한테 정말 놀랐구나."

헨리의 아빠가 말했다.

"죄송해요." 헨리가 말했다.

"널 어떻게 해야 할지 모르겠어."

헨리의 아빠가 말했다.

헨리는 슬퍼 보였다.

그때 머지가 자신의 꼬리를 흔들고,

헨리의 손을 핥더니,

젖은 털로 뒤덮인 자신의 커다란 몸을 흔들어

헨리와 헨리의 아빠에게

물을 털어 냈다.

"*머지!*" 헨리가 소리쳤다.

헨리의 아빠는

진흙투성이 얼굴에

진흙투성이 신발에

곳곳에 진흙이 묻은 채 그곳에 서 있었다.

그는 머지를 바라보았다가,

그는 헨리를 바라보았고,

그는 큰 웅덩이를 바라보았다.

그러더니 그는 미소 지었다.

“우와.” 그가 말했다.

그리고 그는 안으로 뛰어들었다.

그는 머지에게 물을 튀겼다.

그는 헨리에게 물을 튀겼다.

그가 말했다. "다음에는, 나에게도 함께 가자고 하렴!"

헨리가 말했다. "그럴게요, 아빠."

그리고 헨리는 되받아서 아빠에게 물을 끼얹었다.

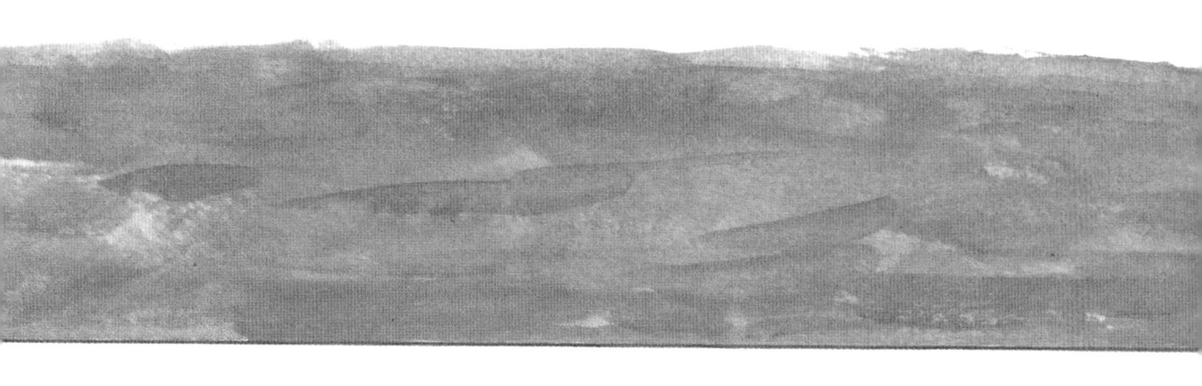

새끼 고양이들

5월에

헨리와 머지의 옆집에 사는 고양이가

새끼 고양이들을 낳았다.

새끼 고양이가 다섯 마리 있었다.

한 마리는 주황색이었다.

한 마리는 회색이었다.

한 마리는 검은색과 흰색이었다.

그리고 두 마리는 온통 검은색이었다.

엄마 고양이가 휴식을 취하는 동안

새끼 고양이들은 때때로

그들의 앞마당에 있는 상자 속에서

햇볕을 쬐기도 했다.

어느 날 헨리와 머지는

상자 속을 살짝 들여다보았다.

그들은 작고 귀여운

새끼 고양이 얼굴들과

작고 귀여운

새끼 고양이 발들을 보았고

작고 귀여운

새끼 고양이 울음소리를 들었다.

머지는 킁킁거리며

냄새를 맡고 또 맡았다.

녀석은 자신의 꼬리를 흔들었고

재채기를 했고

조금 더 킁킁거리며 냄새를 맡았다.

그러고 나서 녀석은 자신의

큰 머리를 상자 속에 넣었고

자신의 큰 혀로

새끼 고양이 다섯 마리 모두를

핥았다.

헨리는 웃었다.

"너도 너만의 새끼 고양이들을

갖고 싶은 거야?"

그가 머지에게 물었다.

머지는 낑낑거렸고

다시 자신의 꼬리를 흔들었다.

새끼 고양이들이

그들의 앞마당에 있을 때마다,

헨리와 머지는

상자를 찾아갔다.

헨리는 녀석들의 작은 코들이

무척 마음에 들었다.

그리고 그는 심지어

그들에게 이름도 지어 주었다.

그는 그들을

비너스(금성),

얼스(지구),

마스(화성),

주피터(목성),

그리고 새턴(토성)이라고 불렀다.

헨리는 또한, 행성들도 매우 좋아했다.

헨리가 학교에 간 어느 날,

새로운 개가 헨리의 동네에 나타났다.

새끼 고양이 다섯 마리는

그들의 마당에 있는 상자 속에서

자고 있었다.

머지는 헨리의 집에서 자고 있었다.

새로운 개가

헨리의 집에 더 가까이 다가왔을 때,

머지의 귀가 쫑긋 솟았다.

새로운 개가

헨리의 집에 훨씬 더

가까이 다가왔을 때,

머지의 코가 공중으로 올라갔다.

그리고 새로운 개가

헨리의 집 앞에 온

바로 그때,

머지는 짖었다.

녀석이 짖고 또 짖고

또 짖어대서

결국 헨리의 엄마는

문을 열어 주었다.

그리고 머지가 문밖으로 달려 나간

바로 그때,

새로운 개는

이웃집 마당에 있었고,

새끼 고양이들이 든 상자 속을 보고 있었다.

그리고 그 새로운 개가

상자 속으로 그의 큰 이빨을 갖다 대려는 바로 그때,

머지가 그의 뒤로 달려갔다.

딱! 머지가 이빨을 부딪치자

새로운 개가 머지를 쳐다보았다.

딱! 머지가 이빨을 다시 부딪쳤을 때

새로운 개는 새끼 고양이들이 든 상자를

돌아보았다.

머지가 으르렁거렸다.

녀석은 새로운 개의 눈을 들여다보았다.

녀석은 달려들 준비를 하고 서 있었다.

그리고 새로운 개는 상자로부터

뒷걸음쳤다.

그는 더 이상 새끼 고양이들을 원하지 않았다.

그는 단지 떠나고 싶었다.

그리고 그는 그렇게 했다.

머지는 새끼 고양이들이 든 상자를 들여다보았다.

녀석은 조그마한 얼굴 다섯 개와

가녀린 꼬리 다섯 개와

작은 발 스무 개를 보았다.

녀석은 머리를 뻗어서

새끼 고양이 다섯 마리 모두를 핥았다.

그러고 나서 녀석은

상자 옆에 누워서

헨리를 기다렸다.

비너스,

얼스,

마스,

주피터,

그리고 새턴은

다시 잠들었다.

Activities

영어 원서를 총 여섯 개의 파트로 나누어,
각 파트별로 다양한 액티비티를 담았습니다.

각 파트의 영어 원서 페이지는 롱테일북스에서 출간된
'롱테일 에디션'을 기준으로 합니다!
수입 원서와는 페이지 구성에 차이가 있으니 참고하세요.

VOCABULARY

눈

snow

녹다

melt

봄

spring

머무르다, 가만히 있다

stay

밖에서

outside

자전거

bike

물어뜯다, 씹다

chew

기쁜

glad

마당

yard

파란색의

blue

땅

ground

부르다, 외치다

call

꽃

flower

킁킁거리다

sniff

재채기하다

sneeze

따다

pick

예쁜

pretty

병

jar

VOCABULARY QUIZ

1 그림에 맞는 단어를 퍼즐에서 찾아 표시하고 단어를 써 보세요.

o	u	t	s	i	d	e	e	n	t	f
h	a	o	n	n	d	z	r	b	c	l
v	s	s	g	r	o	u	n	d	n	o
e	n	b	o	i	f	b	t	j	l	w
w	o	s	x	n	t	s	n	n	i	e
r	w	i	t	s	b	m	k	e	v	r
e	k	s	p	r	i	n	g	h	e	r
t	p	n	n	u	k	g	e	l	w	f
n	a	i	b	x	e	m	q	e	l	m
p	a	f	e	n	t	s	n	m	k	n
n	i	f	t	t	e	l	c	h	e	w

2 그림에 맞는 단어를 연결하고 빈칸에 알맞은 알파벳을 넣어 보세요.

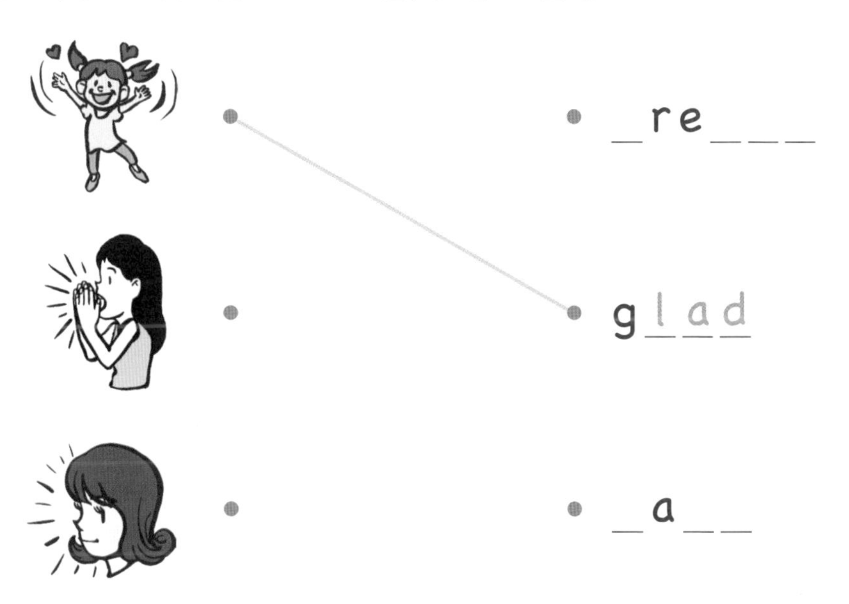

3 글자를 바르게 배열하여 단어를 완성해 보세요.

t l e m

melt

y a s t

a d r y

a r j

e e z n s e

k p c i

s f i n f

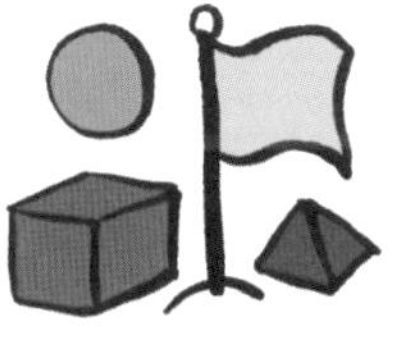

l u b e

WRAP-UP QUIZ

1 이야기의 순서에 맞게 그림을 배열해 보세요.

a

Henry let the blue flower grow instead of picking it.

b

Henry saw a blue flower in his yard.

c

Henry and Mudge played outside when Spring came.

d

Mudge sneezed all over Henry after sniffing the blue flower.

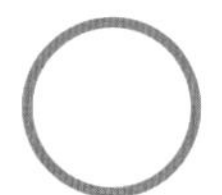
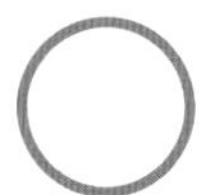

2 다음 질문에 알맞은 답을 선택해 보세요.

1) Why did Henry and Mudge stay outside?

a. Spring was gone.

b. The snow was falling.

c. The snow melted and Spring came.

2) What had Henry missed?

a. He had missed picking flowers.

b. He had missed chewing on sticks.

c. He had missed riding his bike.

3) What did Henry want to do with the blue flower in the yard?

a. To pick the flower

b. To let the flower grow

c. To feed the flower to Mudge

3 책의 내용과 일치하면 T, 그렇지 않으면 F를 적어 보세요.

1) Henry's mother did not know the name of the flower. ____

2) Henry's mother told Henry to pick the flower. ____

3) Mudge did not have an interest in the flower. ____

PATTERN DRILL

유용한 영어 표현

Henry knew he **should not** pick the flower.
헨리는 그 꽃을 꺾으면 안 된다는 것을 알고 있었다.

헨리는 밖에서 보았던 꽃을 너무 갖고 싶었지만, 꽃을 꺾지 말아야 한다는 것을 알고 있었어요. 이렇게 **"~해야 한다"**라고 말할 때는 should 다음에 동작을 나타내는 표현을 쓰고, **"~하지 말아야 한다"**, **"~하면 안 된다"**라고 충고할 때는 should not 다음에 동작을 나타내는 표현을 써요.

should + [동작]: ~해야 한다
should not + [동작]: ~하지 말아야 한다

We **should** stop fighting.
우리는 싸움을 멈추어야 한다.

You **should** drink water right now.
너는 지금 당장 물을 마셔야 한다.

My little brother **should not** eat peanuts.
내 남동생은 땅콩을 먹으면 안 된다.

You **shouldn't** lie.
너는 거짓말을 하지 말아야 한다.
* should not은 shouldn't로 줄여서 말할 수 있어요.

우리말과 뜻이 통하도록 네모 안에 들어 있는 말을 바르게 배열해 보세요.

1. 그는 매일 운동해야 한다.

should ~ 해야 한다	he 그	every day 매일	exercise 운동하다

He should ______________________________.

2. 너는 집에 머물러야 한다.

stay 머무르다	at home 집에	should ~ 해야 한다	you 너

______________________________.

3. 너는 교실에서 뛰지 말아야 한다.

should not ~ 하지 말아야 한다	you 너	run 뛰다	in the classroom 교실에서

______________________________.

4. 우리는 불량식품을 먹지 말아야 한다.

eat 먹다	we 우리	junk food 불량식품	shouldn't ~ 하지 말아야 한다

______________________________.

꼭 기억하세요

should와 **should not** 다음에는 동작 표현의 원래 모습을 써야 해요.

너는 선생님의 말씀을 들어야 한다.
You **should** listened to your teacher. (X)
You **should** listen to your teacher. (O)

우리는 큰 소리로 말하면 안 된다.
We **should not** speaking so loud. (X)
We **should not** speak so loud. (O)

VOCABULARY

원하다

want

목걸이

collar

속삭이다; 속삭임

whisper

자라다

grow

흔들다 (과거형 wagged)

wag

꼬리

tail

핥다; 핥기

lick

먹다 (과거형 ate)

eat

배

belly

몹시 화가 난

mad

나쁜, 안 좋은

bad

갈색의

brown

팔

arm

듣다

listen

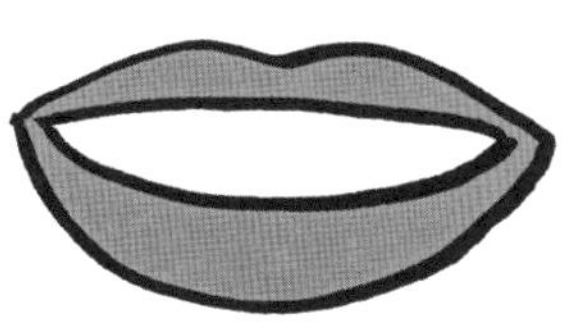

입술

lip

꽃잎

petal

손

hand

주머니

pocket

VOCABULARY QUIZ

1 알파벳을 연결해서 단어를 만들고, 알맞은 그림과 연결해 보세요.

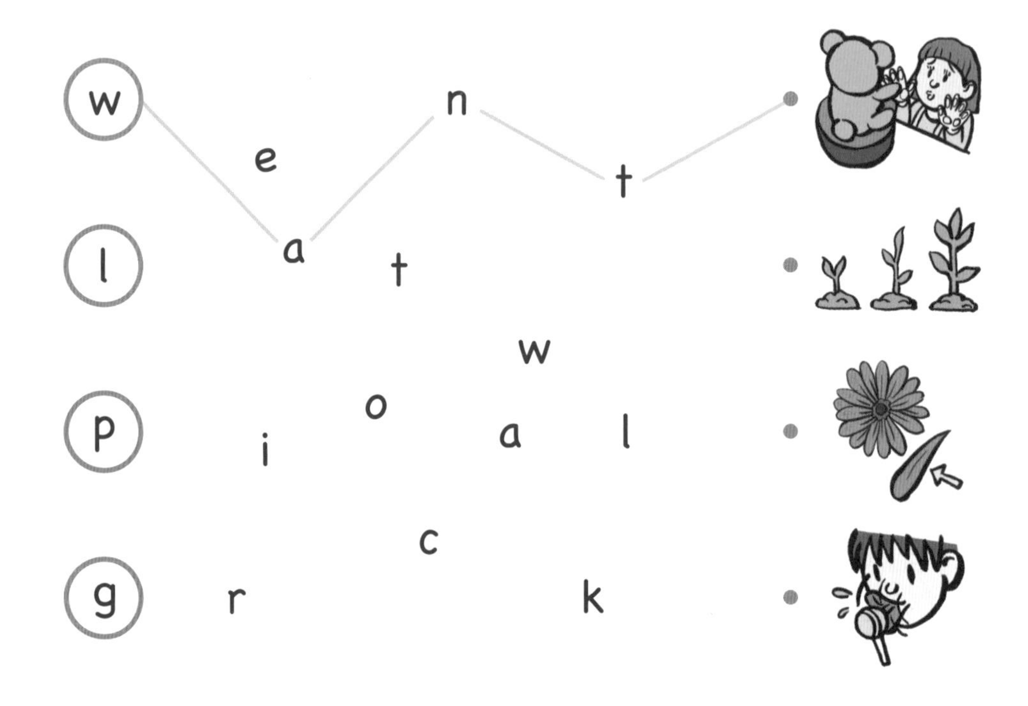

2 빈칸에 알맞은 알파벳을 넣어 단어를 완성해 보세요.

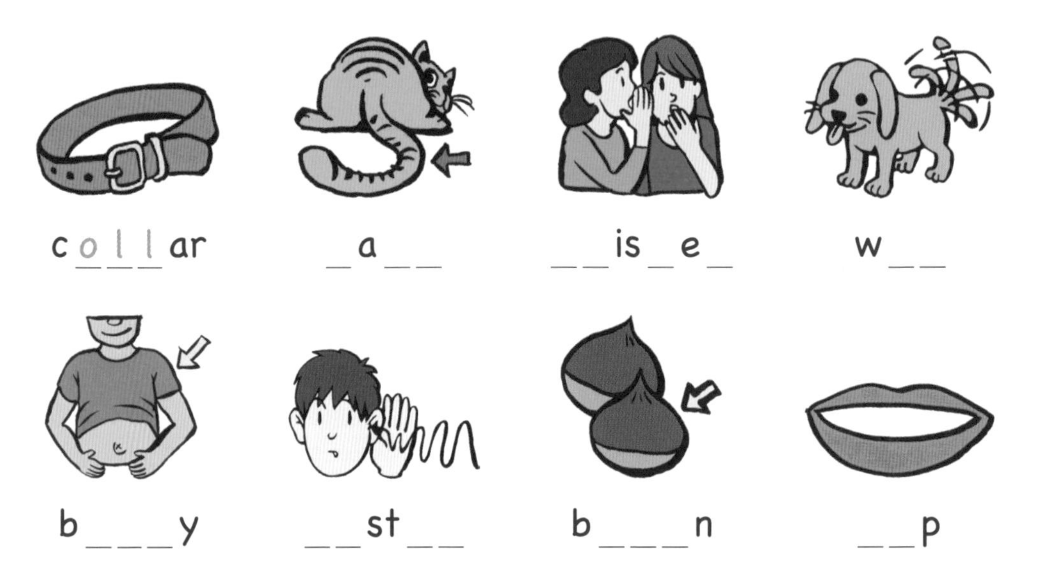

3 그림을 보고 알맞은 단어를 넣어 퍼즐을 완성해 보세요.

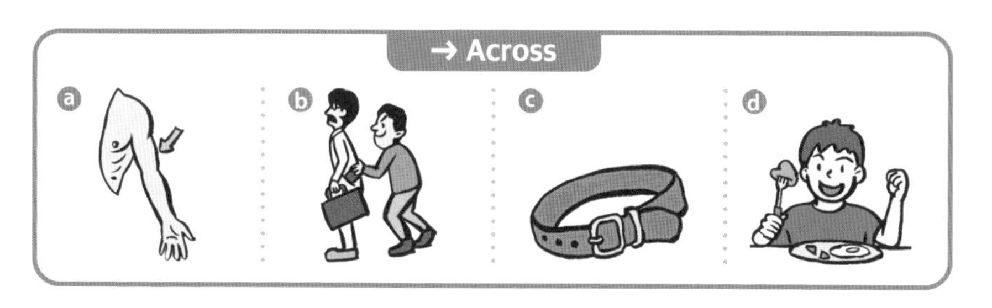

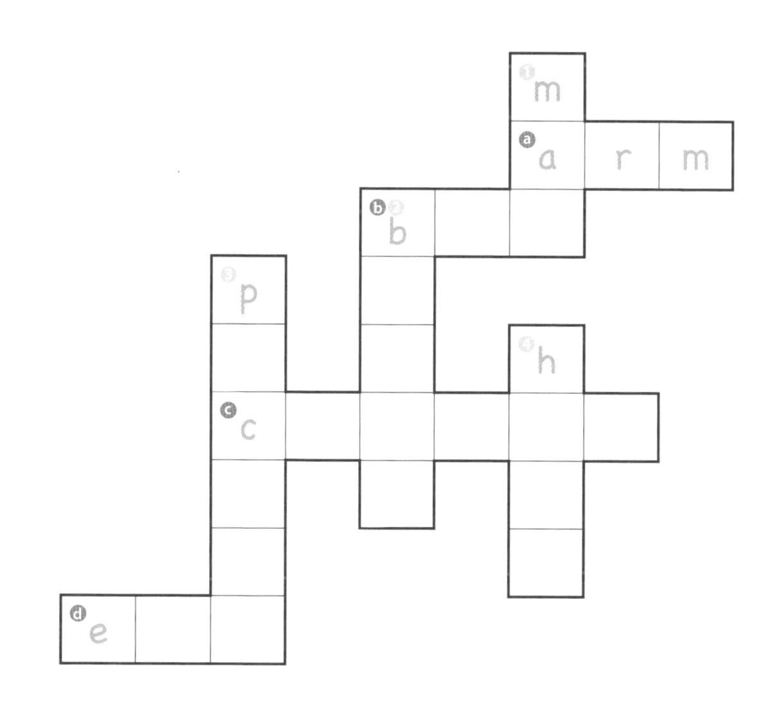

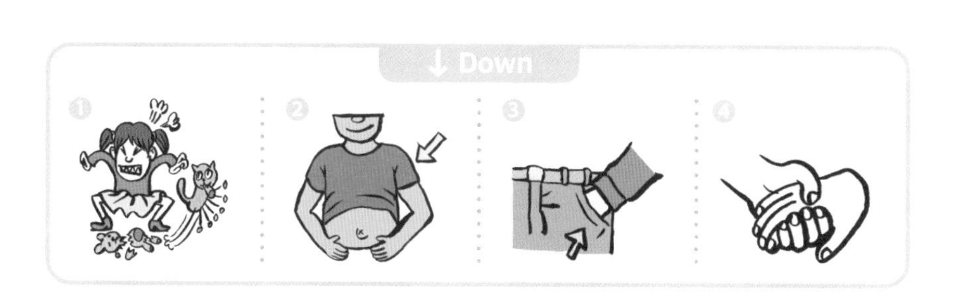

1 이야기의 순서에 맞게 그림을 배열해 보세요.

a

Herny knew that it was not Mudge's fault for eating the flower.

b

Henry got so mad at Mudge for eating the flower.

c

Henry took Mudge to the snow glory.

d

Mudge ate the snow glory.

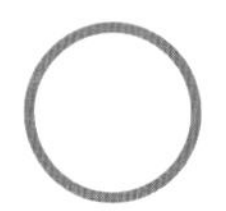

2 다음 질문에 알맞은 답을 선택해 보세요.

1) What did Henry say to Mudge?

a. That he was going to pick the snow glory

b. That he was going to change Mudge's collar

c. That he was going to give Mudge a present

2) What happened to the snow glory?

a. Henry stepped on it.

b. Mudge ate it.

c. Henry picked it from the ground.

3) What did NOT happen when Henry was mad at Mudge?

a. Henry called Mudge a bad dog.

b. Henry knew that the flower did not belong to anybody.

c. Henry told Mudge to listen better next time.

3 책의 내용과 일치하면 T, 그렇지 않으면 F를 적어 보세요.

1) Henry thought that it was time to pick the snow glory. ____

2) Henry could not stop feeling mad at Mudge. ____

3) The snow glory was completely gone. ____

PATTERN DRILL

유용한 영어 표현

Henry **had to** have the flower.
헨리는 그 꽃을 가져야 했다.

마당의 파란 꽃을 꺾으면 안 된다는 것을 알고 있었지만, 헨리는 꽃을 꼭 가져야겠다고 생각했어요. 이렇게 **"~해야 한다"**라고 말할 때는 **have to** 다음에 동작을 나타내는 표현을 써요. 그리고 이 동작 표현은 항상 원래 모습이어야 해요.

have to + [동작] : ~해야 한다

You **have to** take this medicine.
너는 이 약을 먹어야 한다.

I **have to** finish my homework.
나는 나의 숙제를 끝내야 한다.

You **have to** brush your teeth every day.
너는 매일 이를 닦아야 한다.

They **had to** clean the classroom.
그들은 교실을 청소해야 했다.
* 지나간 일에 대해 말할 때 have to는 had to로 변해요.

우리말과 뜻이 통하도록 네모 안에 들어 있는 말을 바르게 배열해 보세요.

1. 그는 파티에서 정장을 입어야 했다.

had to	he	wear	at the party	a suit
~해야 했다	그	입다	파티에서	정장

He had to ______________________________.

2. 너는 벌금을 내야 한다.

you	a fine	have to	pay
너	벌금	~해야 한다	내다

______________________________.

3. 내 여동생과 나는 방을 같이 써야 한다.

share	my sister and I	a room	have to
같이 쓰다	내 여동생과 나	방	~해야 한다

______________________________.

4. 내 어머니는 오랜 시간 동안 일해야 했다.

my mother	work	had to	long hours
내 어머니	일하다	~해야 했다	오랜 시간 동안

______________________________.

꼭 기억하세요

have to는 앞에서 배운 **should**보다 더 강한 뜻을 나타내요.

You **should** take the train.
너는 기차를 타야 한다.

You **have to** take the train.
너는 (반드시) 기차를 타야 한다.

VOCABULARY

비가 오다; 비

rain

지루해하는

bored

물어뜯다, 씹다

chew

놀다, (게임을) 하다

play

우비

raincoat

운동화

sneaker

아버지

father

젖은, 축축한

wet

들어 올리다

lift

발

paw

물

water

털로 덮인

furry

몸

body

웅덩이

puddle

거대한

giant

호수

lake

바다

ocean

진흙투성이의, 탁한

muddy

VOCABULARY QUIZ

1 그림에 맞는 단어를 퍼즐에서 찾아 표시하고 단어를 써 보세요.

n	p	a	w	e	b	c	e	n	t	d
h	a	o	n	n	d	z	r	b	c	l
r	i	s	p	u	d	d	l	e	n	o
a	v	b	l	i	f	b	t	j	l	c
i	e	s	a	n	t	s	n	n	i	e
n	a	i	y	s	u	m	k	f	v	a
c	k	s	p	r	g	n	g	u	e	n
o	h	t	n	u	i	g	e	r	w	f
a	e	s	n	e	a	k	e	r	l	m
t	a	c	e	n	n	s	n	y	k	n
n	i	k	s	r	t	o	t	s	e	r

2 그림에 맞는 단어를 연결하고 빈칸에 알맞은 알파벳을 넣어 보세요.

3 글자를 바르게 배열하여 단어를 완성해 보세요.

a n i r

____

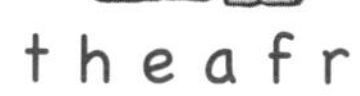

t h e a f r

____

o a c n e

____

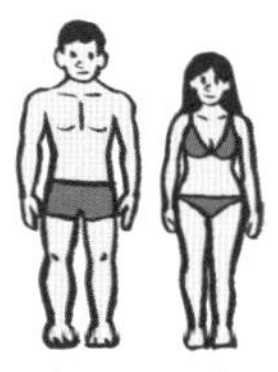

d y o b

____

e c h w

____

k e l a

____

t r e a w

____

d y d u m

____

WRAP-UP QUIZ

1 이야기의 순서에 맞게 그림을 배열해 보세요.

a

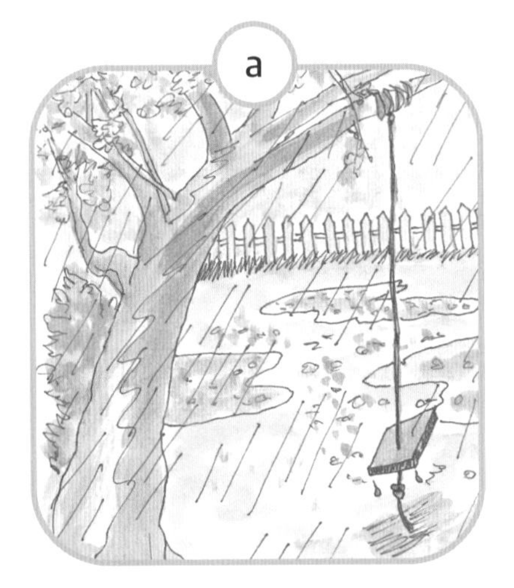

It rained every day in April.

b

Mudge jumped into the big puddle.

c

Mudge shook off water all over Henry.

d

Henry and Mudge found a big puddle.

2 다음 질문에 알맞은 답을 선택해 보세요.

1) What did Henry and Mudge do when they got bored?

a. They went outside in the rain.

b. They played inside together.

c. They ate some snacks.

2) What did Henry think that Mudge should have?

a. Sneakers

b. A raincoat

c. A new collar

3) What did Henry and Mudge find down the road?

a. An ocean

b. A lake

c. A puddle

3 책의 내용과 일치하면 T, 그렇지 않으면 F를 적어 보세요.

1) Henry asked his father if it was okay to go outside. ____

2) Henry put on his raincoat and sneakers. ____

3) Henry jumped into the puddle before Mudge got there. ____

유용한 영어 표현

Henry **forgot to** ask his father if it was all right.
헨리는 아빠에게 그래도 괜찮은지 묻는 것을 깜박했다.

외출을 할 때는 부모님에게 미리 말해야 해요. 그런데 헨리는 아빠에게 말하는 것을 잊어버리고 머지와 밖으로 나가 버렸어요. 하려고 마음먹었던 일이나 해야 할 일을 잊어버려서 **"~하는 것을 잊다"**라고 말하고 싶을 때는 **forget to** 다음에 동작을 나타내는 표현을 써요. 그리고 동작 표현은 항상 원래 모습이어야 해요.

forget to + [동작]: ~하는 것을 잊다

We never **forget to** exercise.
우리는 운동하는 것을 절대 잊지 않는다.

Some people **forget to** say thank you.
어떤 사람들은 고맙다고 말하는 것을 잊는다.

He **forgot to** water the plant.
그는 화초에 물을 주는 것을 잊었다.
* 지나간 일에 대해 말할 때 forget to는 forgot to로 변해요.

I **forgot to** take a shower today.
나는 오늘 샤워하는 것을 잊었다.

우리말과 뜻이 통하도록 네모 안에 들어 있는 말을 바르게 배열해 보세요.

1. 나는 내 부모님에게 전화하는 것을 절대로 잊지 않는다.

never	call	I	forget to	my parents
절대로 ~ 않다	전화하다	나	~하는 것을 잊다	내 부모님

I never ______________________________.

2. 우리는 안전벨트를 매는 것을 절대로 잊지 않는다.

forget to	fasten	we	the seat belt	never
~하는 것을 잊다	매다	우리	안전벨트	절대로 ~ 않다

______________________________.

3. 그녀는 그녀의 숙제를 가지고 오는 것을 잊었다.

her homework	she	bring	forgot to
그녀의 숙제	그녀	가지고 오다	~하는 것을 잊었다

______________________________.

4. 내 남동생은 쓰레기를 내다 버리는 것을 잊었다.

the garbage	forgot to	my brother	take out
쓰레기	~하는 것을 잊었다	내 남동생	내다 버리다

______________________________.

5. 그 남자아이는 창문을 닫는 것을 잊었다.

forgot to	the window	close	the boy
~하는 것을 잊었다	창문	닫다	그 남자아이

______________________________.

VOCABULARY

첨벙 (하는 소리); 물을 튀기다

splash

아버지

father

진흙투성이의, 탁한

muddy

얼굴

face

꼬리

tail

소리치다

yell

소년

boy

개

dog

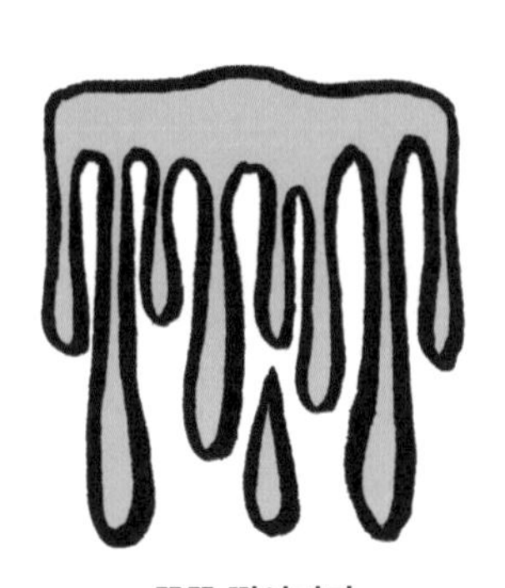

뚝뚝 떨어지다

drip

미소; 미소 짓다

smile

흔들다 (과거형 wagged)

wag

묻다

ask

먼저; 첫 번째의

first

슬픈

sad

털로 덮인

furry

몸

body

신발

shoe

웅덩이

puddle

VOCABULARY QUIZ

1 알파벳을 연결해서 단어를 만들고, 알맞은 그림과 연결해 보세요.

2 빈칸에 알맞은 알파벳을 넣어 단어를 완성해 보세요.

3 그림을 보고 알맞은 단어를 넣어 퍼즐을 완성해 보세요.

→ Across

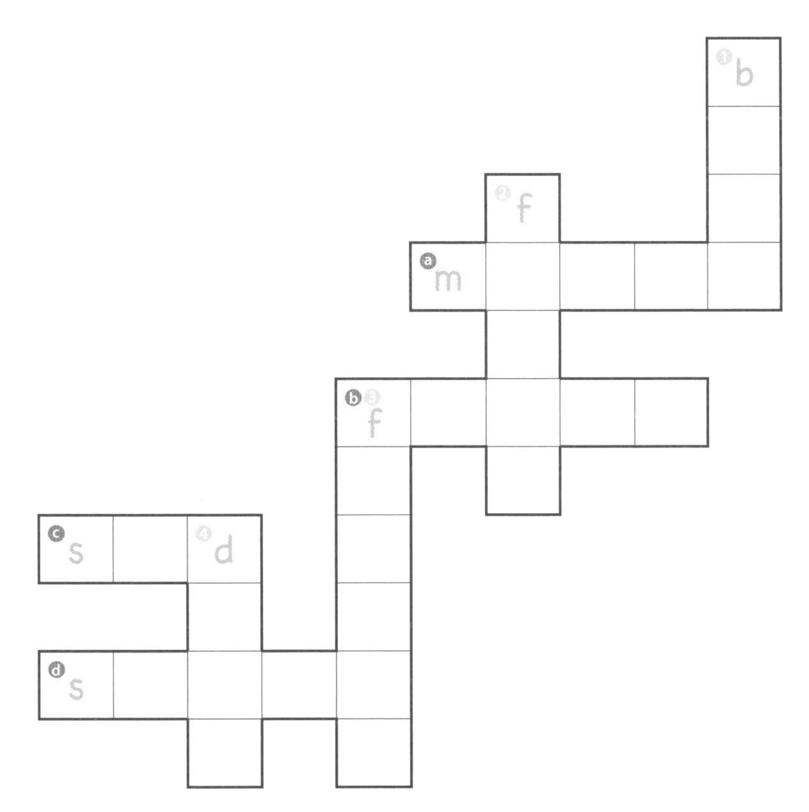

↓ Down

WRAP-UP QUIZ

1 이야기의 순서에 맞게 그림을 배열해 보세요.

a

Mudge shook off the water all over Henry's father.

b

Henry seemed to be sad when his father yelled at him.

c

Henry's father jumped in the puddle.

d

Henry, Mudge, and Henry's father had fun in the puddle.

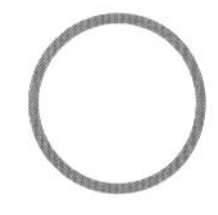 ···▸  ···▸  ···▸ 

2 다음 질문에 알맞은 답을 선택해 보세요.

1) How did Henry's father feel at first when he found Henry and Mudge?

a. He was disappointed with Henry.

b. He was glad to find Henry and Mudge.

c. He was angry to see Mudge dirty.

2) What happened after Mudge shook the water onto Henry's father?

a. Henry's father called Henry a bad boy.

b. Henry's father yelled at Mudge.

c. Henry's father jumped into the puddle.

3) What did Henry promise his father?

a. To stay home next time

b. To ask him along next time

c. To give Mudge a bath

3 책의 내용과 일치하면 **T**, 그렇지 않으면 **F**를 적어 보세요.

1) Henry's father was so angry that he yelled at Mudge. ____

2) Henry's father pulled Henry and Mudge out of the puddle. ____

3) Henry splashed water on his father. ____

유용한 영어 표현

I am surprised at you.
너한테 정말 놀랐구나.

헨리의 아빠는 허락도 받지 않고 밖으로 나간 헨리의 행동에 깜짝 놀랐어요. 이렇게 놀라움의 감정을 표현할 때는 be surprised at 다음에 놀라게 만든 대상을 써서 말해요. 언제 그리고 누가 이런 감정을 느끼는지에 따라 surprised 앞에 오는 be의 모습이 달라집니다. 아래에 나오는 문장들을 보고, be의 다양한 모습을 확인해 보세요.

be surprised at + [대상]: ~에게 놀라다

I **am surprised at** the big dog.
나는 그 커다란 개에게 놀란다.

The girl **is surprised at** the strange sound.
그 여자아이는 이상한 소리를 듣고 놀란다.

Many people **are surprised at** the big snowman.
많은 사람들은 커다란 눈사람을 보고 놀란다.

We **are surprised at** her beautiful voice.
우리는 그녀의 아름다운 목소리에 놀란다.

우리말과 뜻이 통하도록 네모 안에 들어 있는 말을 바르게 배열해 보세요.

1. 나는 그 소식에 놀란다.

am surprised at ~에 놀라다	the news 그 소식	I 나

I am surprised at ______________________.

2. 그는 쿵 하는 소리에 놀란다.

he 그	is surprised at ~에 놀라다	the thump 쿵 하는 소리

______________________.

3. 내 어머니는 내 성적에 놀란다.

my grades 내 성적	my mother 내 어머니는	is surprised at ~에 놀라다

______________________.

4. 내 개들은 불꽃놀이에 놀란다.

my dogs 내 개들	the fireworks 불꽃놀이	are surprised at ~에 놀라다

______________________.

꼭 기억하세요

앞에 누가 오는지에 따라 be는 am / are / is의 다양한 모습으로 변해요.

I am happy.	나는 행복하다.
You / We / They are happy.	너(희)는 / 우리는 / 그들은 행복하다
He / She / It is happy.	그는 / 그녀는 / 그것은 행복하다.

VOCABULARY

고양이

cat

살다

live

옆집

next door

새끼 고양이

kitten

주황색의

orange

회색의

gray

검은색의

black

흰색의

white

쉬다; 나머지

rest

훔쳐보다

peek

아주 작은

tiny

발

paw

킁킁거리다

sniff

재채기하다

sneeze

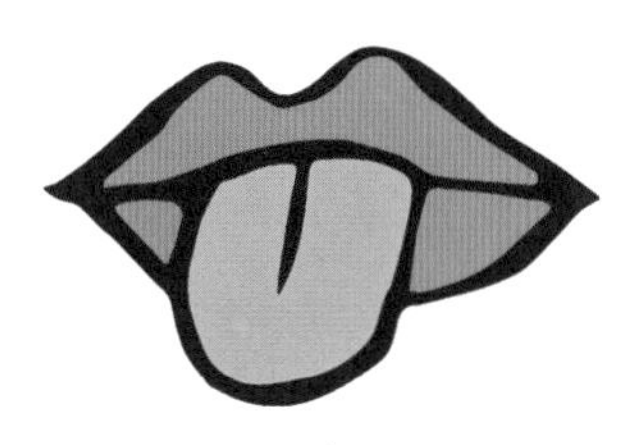

혀

tongue

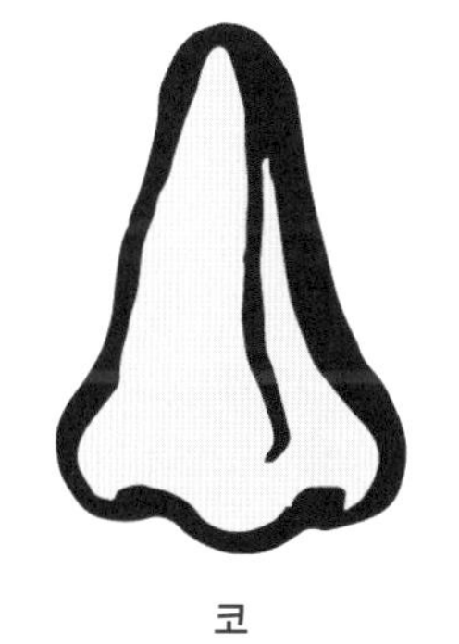

코

nose

이름

name

행성

planet

VOCABULARY QUIZ

1 그림에 맞는 단어를 퍼즐에서 찾아 표시하고 단어를 써 보세요.

u y e l a t i n y t d
h a o n n d z a d c t
r i h n t y e m e n o
s n e e z e b e j l n
n e s a n t s n n i g
i a o r a n g e f v u
f k w r s g q r t k e
f h t p l a n e t w a
a u z t y z s e e l f
t r e s t a s n a k y
n i k s r t o t k e q

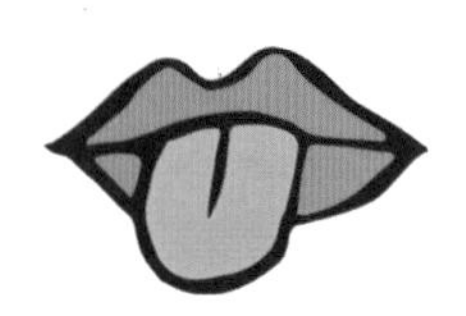

2 그림에 맞는 단어를 연결하고 빈칸에 알맞은 알파벳을 넣어 보세요.

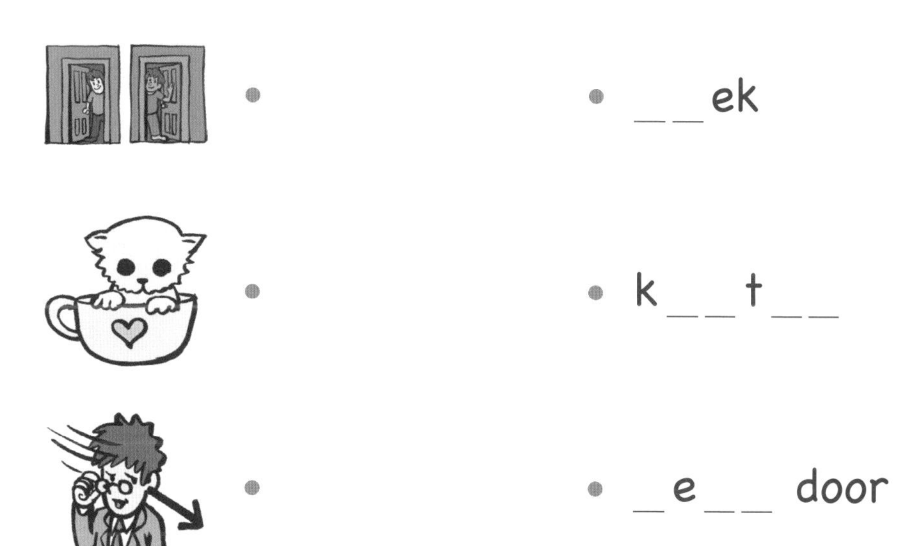

3 글자를 바르게 배열하여 단어를 완성해 보세요.

 t a c	 y a g r	 c l a k b	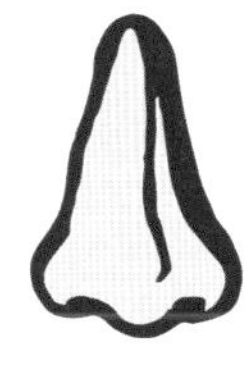 s e n o
________	________	________	________
 e i v l	 a w p	 e u n o g t	 t e h w i
________	________	________	________

1 이야기의 순서에 맞게 그림을 배열해 보세요.

a Mudge loved all the kittens.

b Henry named the kittens after the planets.

c Henry and Mudge peeked into the box of kittens.

d There were five new kittens next door.

2 다음 질문에 알맞은 답을 선택해 보세요.

1) Which of the following was NOT a color of the kittens?

a. All white

b. All black

c. Orange

2) How did Mudge react to the kittens?

a. Mudge showed no interest in them.

b. Mudge growled at them.

c. Mudge sniffed and licked them.

3) Why did Henry name the kittens after the planets?

a. The box had the names of the planets on its sides.

b. He had an interest in the planets.

c. He gave the kittens those names with no special reason.

3 책의 내용과 일치하면 T, 그렇지 않으면 F를 적어 보세요.

1) All the kittens were gray. ____

2) Henry did not like the kittens while Mudge loved them. ____

3) Henry thought that Mudge wanted his own kittens. ____

유용한 영어 표현

There were five kittens.
새끼 고양이가 다섯 마리 있었다.

헨리의 이웃집 고양이가 새끼를 낳았대요! 이웃집에 가 보니 새끼 고양이 다섯 마리가 있었어요. 이렇게 **"~이 있다"**라고 말할 때는 **there be** 다음에 사람, 사물, 장소 등의 대상을 써요. 그리고 be는 그 대상에 따라 여러 모습으로 변해요.

there be + [대상]: ~이 있다

There is a small problem.
작은 문제가 있다.

There are three boys in the classroom.
교실 안에 남자 아이들이 세 명 있다.

There was only one restroom in the park.
공원에는 화장실이 하나만 있었다.

There were four frogs on the rock.
바위 위에 개구리들이 네 마리 있었다.

우리말과 뜻이 통하도록 네모 안에 들어 있는 말을 바르게 배열해 보세요.

1. 매년 지역 축제가 있다.

a local festival 지역 축제	there is 있다	every year 매년

There is a local festival ______________________________.

2. 그의 집에는 수영장이 있었다.

a swimming pool 수영장	in his house 그의 집	there was 있었다

______________________________.

3. 주차장에 많은 자동차가 있다.

in the parking lot 주차장에	there are 있다	a lot of cars 많은 자동차

______________________________.

4. 그 상자 안에 파란색 알 일곱 개가 있었다.

in the box 그 상자 안에	there were 있었다	seven blue eggs 파란색 알 일곱 개

______________________________.

꼭 기억하세요

지나간 일에 대해 말할 때 be는 was / were로 변해요.

I was hungry.	나는 배고팠다.
You / We / They were students.	너(희)는 / 우리는 / 그들은 학생이었다.
He / She / It was at home.	그는 / 그녀는 / 그것은 집에 있었다.

VOCABULARY

새로운

new

코

nose

짖다

bark

열다

open

문

door

밖으로

out

이웃

neighbor

상자

box

놓다

put

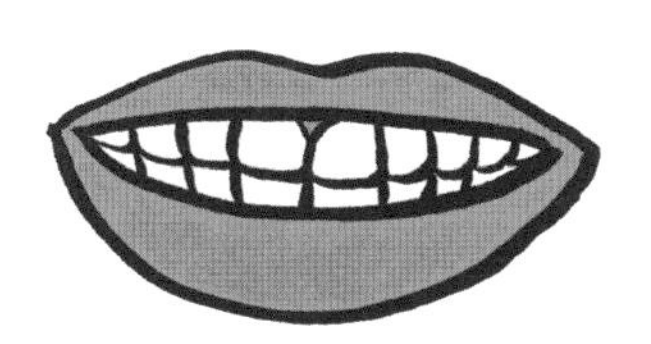

이, 치아 (복수형 teeth)

tooth

으르렁거리다

growl

뒷걸음질하다

back away

아주 작은

tiny

깡마른

skinny

스물

twenty

(손, 팔 등을) 뻗다

reach

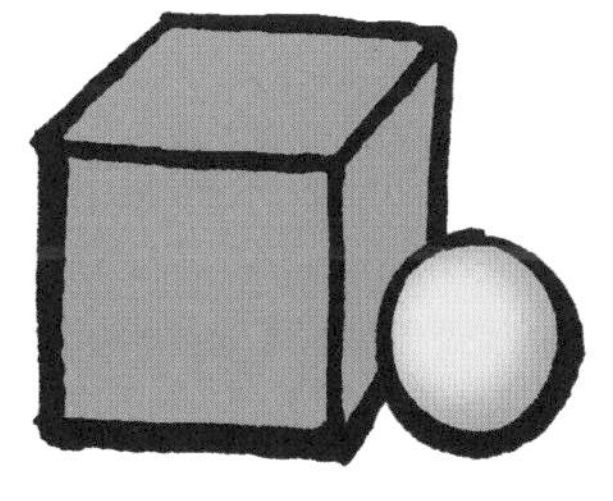

옆에

beside

잠; 자다

sleep

VOCABULARY QUIZ

1 알파벳을 연결해서 단어를 만들고, 알맞은 그림과 연결해 보세요.

2 빈칸에 알맞은 알파벳을 넣어 단어를 완성해 보세요.

3 그림을 보고 알맞은 단어를 넣어 퍼즐을 완성해 보세요.

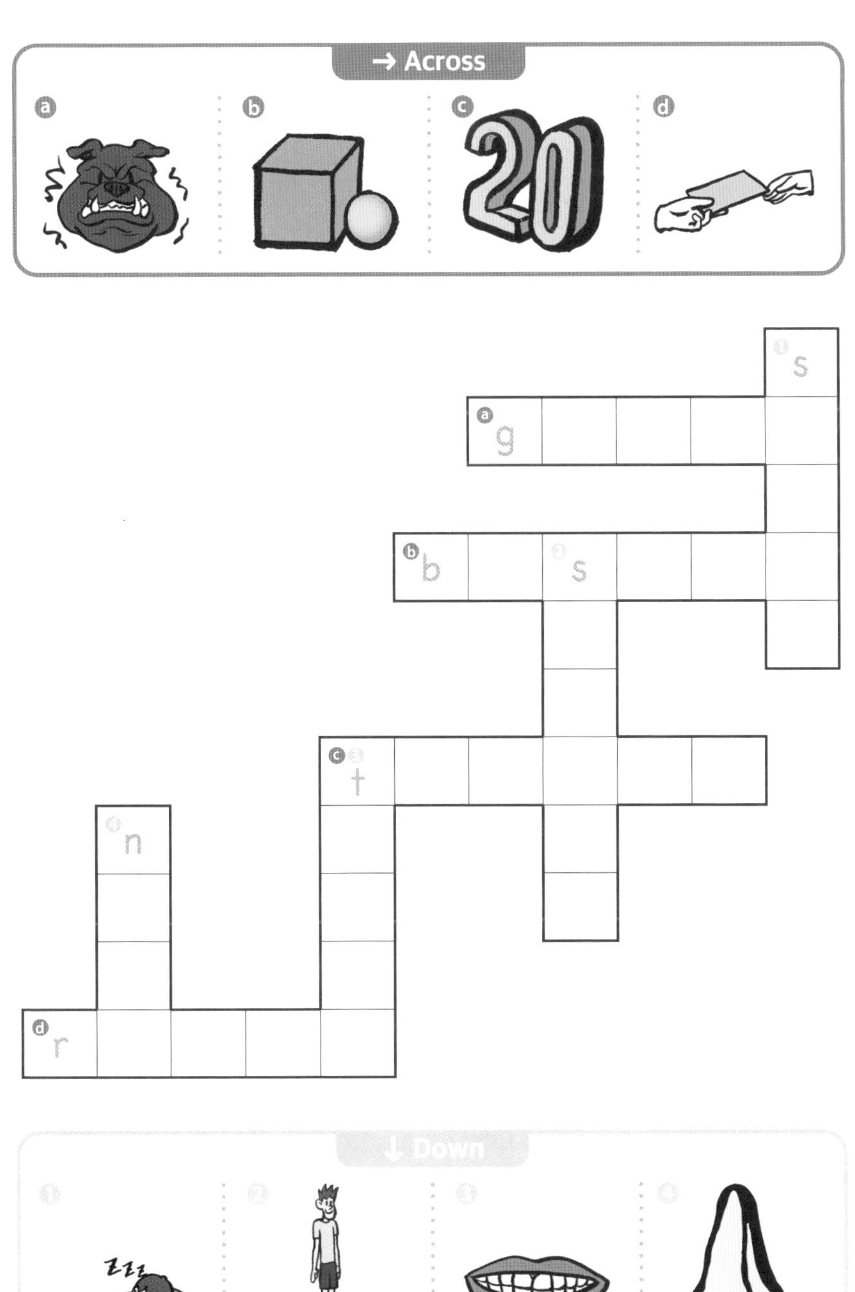

1 이야기의 순서에 맞게 그림을 배열해 보세요.

a

Mudge lay down beside the kitten box.

b

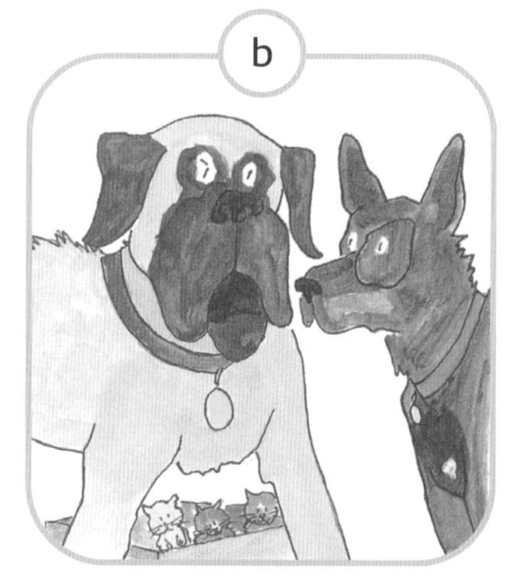

Mudge protected the kittens from the new dog.

c

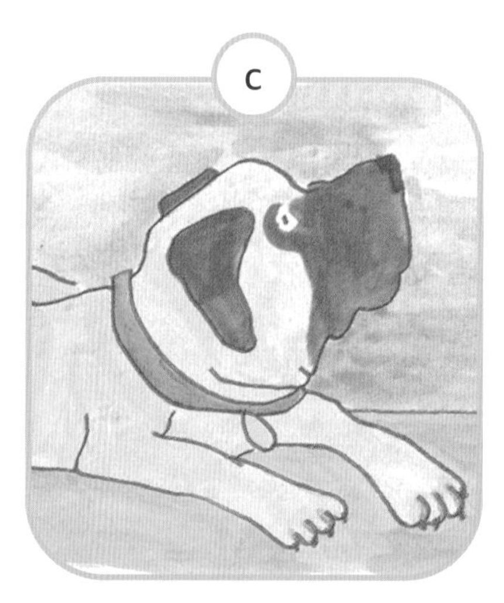

Mudge barked when the new dog was in front of the house.

d

A new dog came to Henry's street.

2 다음 질문에 알맞은 답을 선택해 보세요.

1) What did Mudge do when the new dog got closer to Henry's house?

a. Mudge barked to get out of the house.

b. Mudge went into the bathroom.

c. Mudge fell asleep.

2) What did Mudge do when he saw the new dog near the box of the kittens?

a. He snapped his teeth at the new dog.

b. He ran away to Henry's house.

c. He put his teeth into the box with the new dog.

3) How did the new dog react to Mudge's growling?

a. The new dog growled back at Mudge.

b. The new dog fought against Mudge.

c. The new dog backed away from the kittens.

3 책의 내용과 일치하면 T, 그렇지 않으면 F를 적어 보세요.

1) Mudge barked until Henry's mother opened the door. ____

2) Mudge took the kittens to Henry's house. ____

3) Mudge did not like the kittens anymore. ____

유용한 영어 표현

The new dog was **in front of** Henry's house.
새로운 개가 헨리의 집 앞에 있었다.

앞에서 우리는 '~이 있다'라는 말을 배웠어요. 그 위치를 더 자세하게 나타낼 때는 어떤 표현을 쓸까요? 위의 예문처럼 **"~ 앞에"**, **"~ 앞에서"**라고 말할 때는 in front of 다음에 사람, 사물, 장소 등의 대상을 써서 표현할 수 있어요.

in front of + [대상]: ~ 앞에 / ~ 앞에서

He walked **in front of** me.
그는 내 앞에서 걸어갔다.

My cats are **in front of** the sofa.
내 고양이들은 소파 앞에 있다.

I cannot speak **in front of** a big crowd well.
나는 많은 사람들 앞에서 잘 말할 수가 없다.

Many people are **in front of** the ice cream shop.
많은 사람들이 그 아이스크림 가게 앞에 있다.

우리말과 뜻이 통하도록 네모 안에 들어 있는 말을 바르게 배열해 보세요.

1. 새 한 마리가 문 앞에 있다.

is 있다 (be의 다른 모양)	a bird 새 한 마리	in front of ~ 앞에	the door 문

A bird is ____________________.

2. 작은 정원이 그의 집 앞에 있었다.

his house 그의 집	in front of ~ 앞에	a small garden 작은 정원	there was ~이 있었다

____________________.

3. 내 여동생은 서점 앞에 있다.

the bookstore 서점	my little sister 내 여동생	in front of ~ 앞에	is 있다 (be의 다른 모양)

____________________.

4. 너는 내 앞에 앉아도 된다.

can ~해도 된다	you 너	in front of ~ 앞에	me 나	sit 앉다

____________________.

꼭 기억하세요

in front of와 같이 위치를 알려 주는 다른 표현을 알아볼까요?

- **behind**: ~ 뒤에 → Henry was **behind** the house. 헨리는 집 뒤에 있었다.
- **next to**: ~ 옆에 → Henry stood **next to** his mother. 헨리는 그의 엄마 옆에 서 있었다.

ANSWERS

Part 1

Vocabulary Quiz

1.

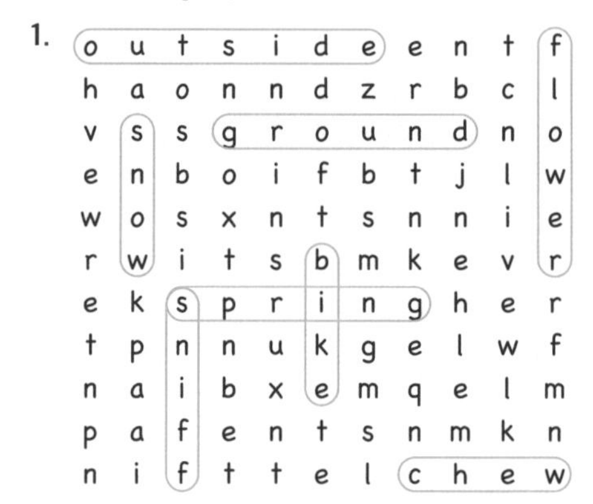

2.

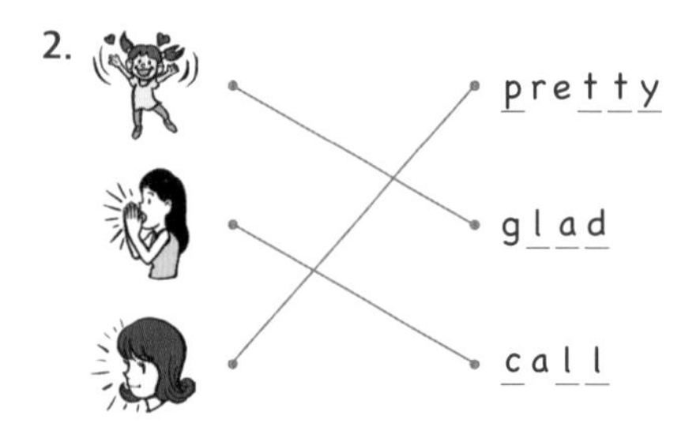

3. melt / stay / yard / jar
sneeze / pick / sniff / blue

Wrap-up Quiz

1. c ⋯→ b ⋯→ d ⋯→ a
2. 1) c 2) c 3) a
3. 1) F 2) F 3) F

Pattern Drill

1. He should exercise every day.
2. You should stay at home.
3. You should not run in the classroom.
4. We shouldn't eat junk food.

Part 2

Vocabulary Quiz

1.

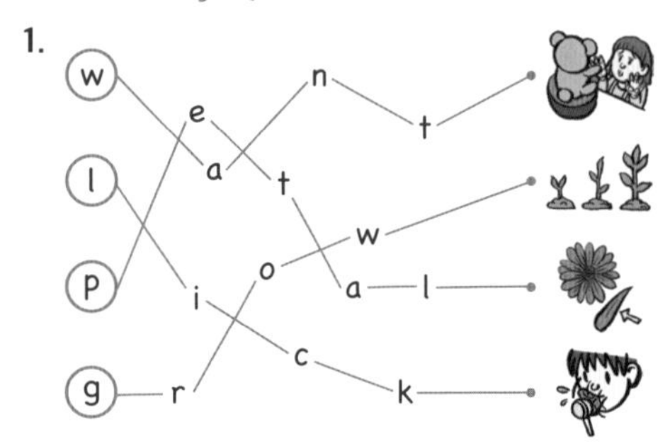

2. collar / tail / whisper / wag
belly / listen / brown / lip

3.

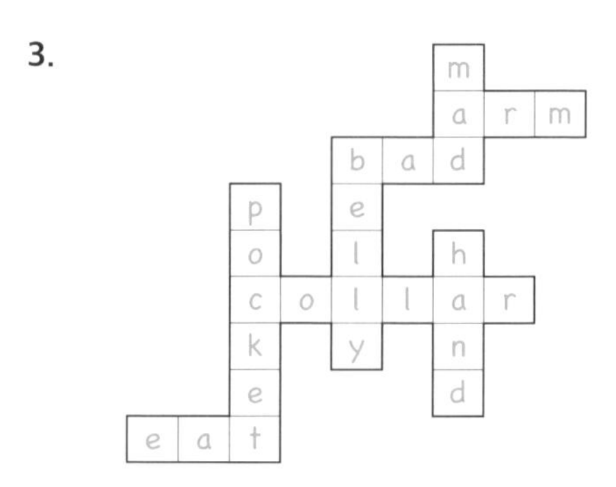

Wrap-up Quiz

1. c ⋯→ d ⋯→ b ⋯→ a
2. 1) a 2) b 3) a
3. 1) T 2) F 3) F

Pattern Drill

1. He had to wear a suit at the party.
2. You have to pay a fine.
3. My sister and I have to share a room.
4. My mother had to work long hours.

Part 3

Vocabulary Quiz

1.

2.

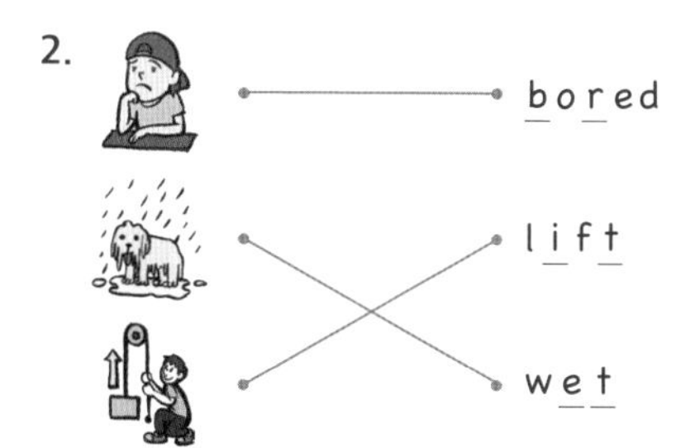

3. rain / father / ocean / body
   chew / lake / water / muddy

Wrap-up Quiz

1. a ··· c ··· d ··· b
2. 1) a   2) a   3) c
3. 1) F   2) T   3) F

Pattern Drill

1. I never forget to call my parents.
2. We never forget to fasten the seat belt.
3. She forgot to bring her homework.
4. My brother forgot to take out the garbage.
5. The boy forgot to close the window.

Part 4

Vocabulary Quiz

1.

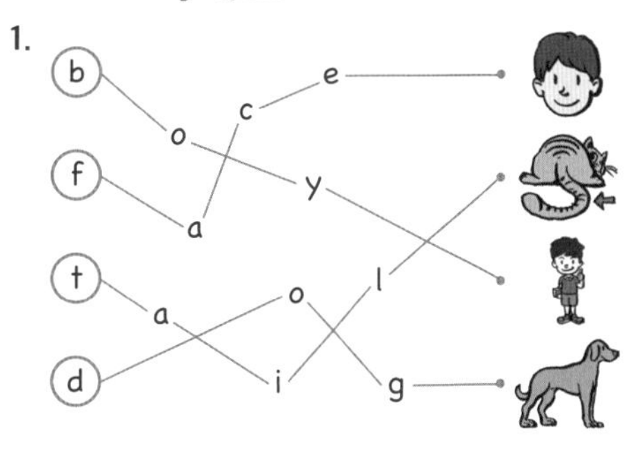

2. shoe / wag / splash / furry
   puddle / smile / ask / yell

3.

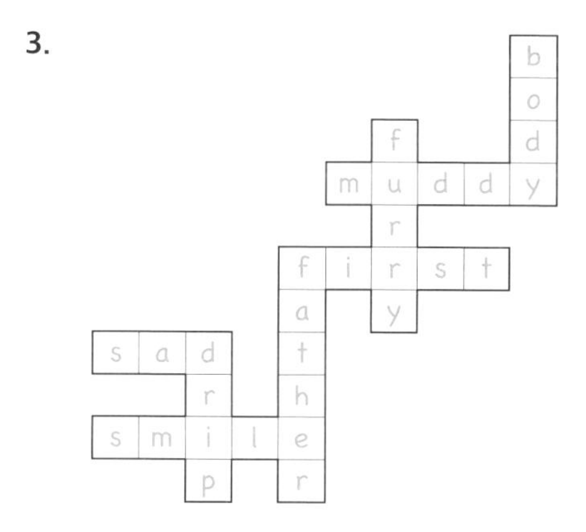

Wrap-up Quiz

1. b ··· a ··· c ··· d
2. 1) a   2) c   3) b
3. 1) F   2) F   3) T

Pattern Drill

1. I am surprised at the news.
2. He is surprised at the thump.
3. My mother is surprised at my grades.
4. My dogs are surprised at the fireworks.

ANSWERS

Part 5

Vocabulary Quiz

1

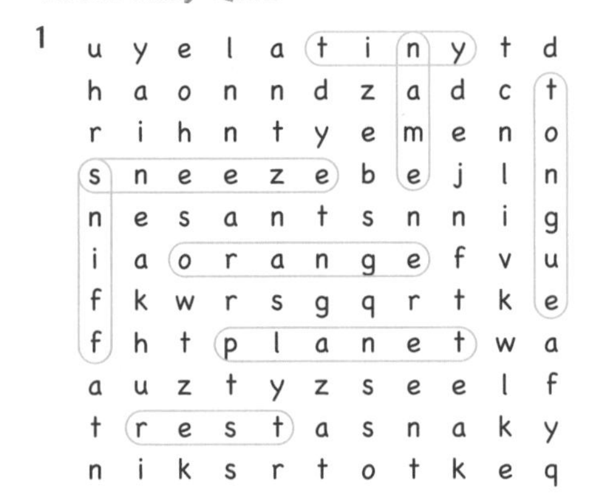

2.

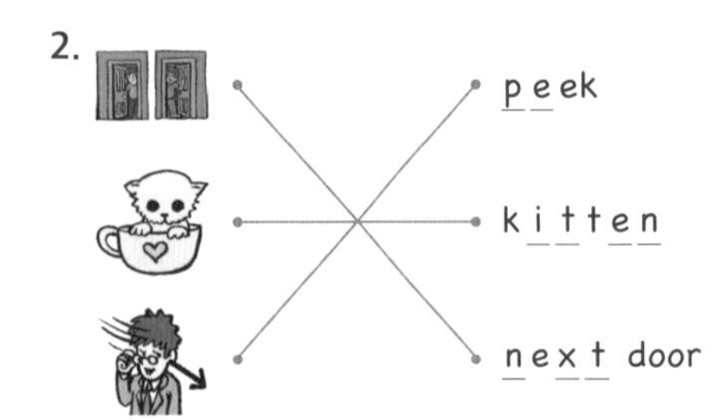

3. cat / gray / black / nose
live / paw / tongue / white

Wrap-up Quiz

1. d ···› c ···› a ···› b
2. 1) a 2) c 3) b
3. 1) F 2) F 3) T

Pattern Drill

1. There is a local festival every year.
2. There was a swimming pool in his house.
3. There are a lot of cars in the parking lot.
4. There were seven blue eggs in the box.

Part 6

Vocabulary Quiz

1.

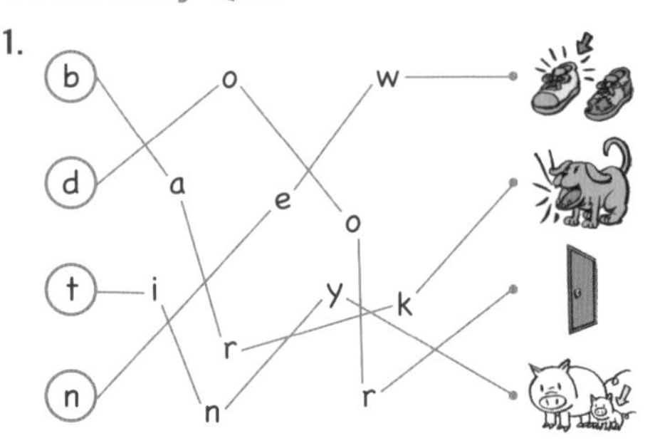

2. put / open / box / tooth
neighbor / growl / out / back away

3.

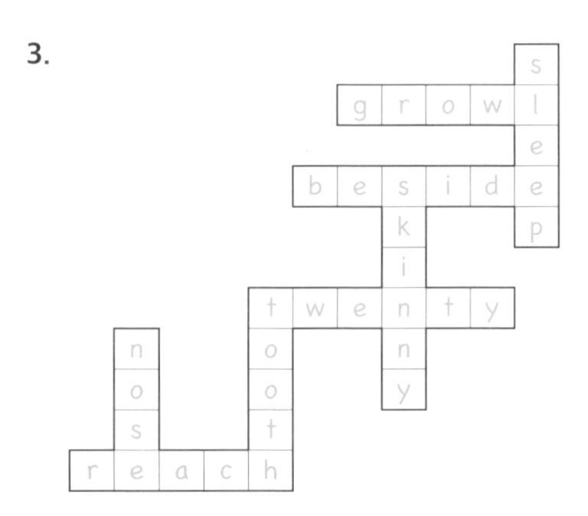

Wrap-up Quiz

1. d ···› c ···› b ···› a
2. 1) a 2) a 3) c
3. 1) T 2) F 3) F

Pattern Drill

1. A bird is in front of the door.
2. There was a small garden in front of his house.
3. My little sister is in front of the bookstore.
4. You can sit in front of me.